CLAUDE DEBUSSY

Des pas sur la neige

(extrait des Préludes, 1er livre)

Édition de Roy Howat et Claude Helffer

DURAND

2

Des pas sur la neige

(extrait des Préludes, 1er livre)

Claude DEBUSSY

- VI.

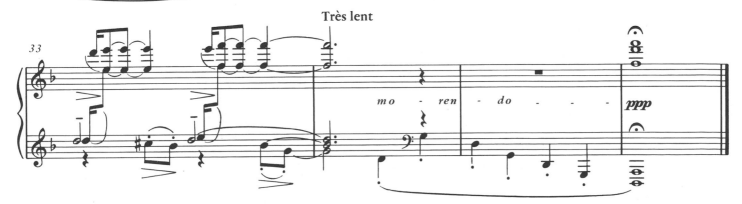

(... des pas sur la neige)

Avertissement

Cette édition critique de *Des pas sur la neige* constitue un tiré à part des ŒUVRES COMPLÈTES DE CLAUDE DEBUSSY (Série I, volume 5).

Note

This critical edition of *Des pas sur la neige* is an excerpt from the COMPLETE WORKS OF CLAUDE DEBUSSY (Series I, volume 5).

© 2012 Éditions DURAND

Tous droits réservés pour tous pays.
All rights reserved.

Imprimé en Italie - Printed in Italy
D. & F. 16042